图书在版编目（CIP）数据

脑筋急转弯. 聪明绝顶篇 / 玉欣主编. —长春：北方妇女儿童出版社，2009

ISBN 978-7-5385-3840-3

Ⅰ. 脑… Ⅱ. 玉 … Ⅲ. 智力游戏 – 少年读物 Ⅳ. G898.2

中国版本图书馆 CIP 数据核字（2009）第 064044 号

脑筋急转弯——聪明绝顶篇

出 版 者	北方妇女儿童出版社	
策　　划	刘　刚	
主　　编	玉　欣	
责任编辑	赵　凯	
地　　址	长春市人民大街 4646 号	邮编 130021
	电话 0431 － 85640624	
经　　销	全国新华书店	
印　　刷	黄冈市新华印刷有限责任公司	
开　　本	880mm × 1230 mm	1/32
印　　张	3	
版　　次	2009 年 7 月第 1 版	
印　　次	2015 年 12 月第 2 次印刷	
书　　号	ISBN 978-7-5385-3840-3	
定　　价	10.00 元	

编者的话

　　思维力是孩子智力活动的核心,也是智力结构的核心,而人的智力因素都是从孩提时代开始发展的。因此,家长要想让孩子更聪明、更胜人一筹,就应从小培养孩子的思维能力。

　　脑筋急转弯是一种智力游戏,是儿童最喜爱的益智游戏之一,同时也是对儿童的思维能力的一种训练。它以生动活泼、易识易记的形式,诱发儿童思考,增进儿童对知识的浓烈兴趣,引导儿童打破惯有的思维模式,发挥自己的超常思维、锻炼人的幽默风趣和机智灵敏,集娱乐启智于一体,从而培养孩子们的幽默感,提高孩子们的判断力和敏捷的思维能力。

　　因此,这套《超级 IQ 大本营》丛书应运而生,它是特别为开发孩子们的智力、丰富孩子们的想象力、陶冶孩子们的情操量身定做的,我们通过精心筛选,编排了近千个"脑筋急转弯"智力问答题。全套书共八册,分别是:趣问妙答篇、爆笑搞怪篇、奇思妙想篇、开心一族篇、聪明绝顶篇、不可思议篇、天下无敌篇和头脑风暴篇。

本套书内容贴近日常生活,文字简洁易读,内容雅致风趣,量身定制的彩色漫画图活泼夸张,幽默诙谐,漫画中还配有相应的幽默诙谐的文字,其中加入了诸多新鲜幽默的时尚元素,这种图文并茂的完美结合,为孩子们烹制出一道精彩绝伦的幽默大餐,益智的同时让孩子们捧腹大笑,乐不可支。

　　孩子是祖国未来的花朵,提高孩子思维能力也是每个家长特别关注的问题,相信这套书,能让孩子们在紧张的挑战中取得快乐与智慧的双重收获,能让他们在智慧的国度里,插上梦想的翅膀,展翅翱翔! 让我们走进这个神秘的天地,开启一扇扇智慧和奇趣的大门吧!

亲爱的,我会爱你爱到海枯石烂。

shén me yàng de shān hé hǎi kě yǐ yí
什么样的山和海可以移

dòng
动？

问题

答案

rén shān rén hǎi
人山人海。

这幅画真是美啊！画得出神入化。

shén me dì fang yǒu hé yǒu hǎi què méi
什么地方有河有海却没
yǒu shuǐ yǒu shān yǒu dì què méi yǒu tǔ ne
有水、有山有地却没有土呢？

问题

3

dì tú shang
地图上。

jī dàn ké yǒu shén me yòng chu ne
鸡蛋壳有什么用处呢？

问题

5

当然是用来包蛋清和蛋黄的啦！

答案

yòng lái bāo dàn qīng hé dàn huáng
用来包蛋清和蛋黄。

对人类来讲，除了阳光，
还有什么光最重要？

问题

shí guāng bǎo guì de shí guāng
时光，宝贵的时光！

zài chuánshang jiàn de zuì duō de shì
在 船 上 见 得 最 多 的 是

shén me
什 么 ？

9

答案

ā guā cóng rè qì qiú shang diào xià lái
阿瓜从热气球上掉下来，

què méi yǒu shòu shāng wèi shén me
却没有受伤，为什么？

问题

答案

rè qì qiú zài dì shang hái méi fàng
热气球在地上，还没放

fēi na
飞呐！

问题

答案

cǎi dào dì léi
踩到地雷。

16

nǐ zhī dào xiǎo tōu zuì pà pèng dào de
你知道小偷最怕碰到的
shì nǎ ge jī guān ma
是哪个机关吗？

问题

gōng ān jī guān
公安机关。

铁蛋！

shén me dàn dǎ bú làn　zhǔ bù
什么蛋打不烂，煮不
shú　gèng bù néng chī
熟，更不能吃？

问题

shén me　　zéi　　bù tōu dōng xi　zhuān
什么"贼"不偷东西，专

mén mài dōng xi
门卖东西？

21

mài guó zéi
卖 国 贼。

嗯，那你先跑吧，我玩会儿再开始跑。

女士优先啊！你得让着我。

yì zhī tǐ cháng gōng fēn de hóng páng
一只体长50公分的红螃

xiè hé yì zhī tǐ cháng gōng fēn de hēi
蟹和一只体长30公分的黑

páng xiè sài pǎo qǐng wèn shéi huì yíng
螃蟹赛跑，请问谁会赢。

问题

shén me lǎo shǔ shì yòng liǎng zhī jiǎo zǒu
什么老鼠是用两只脚走

lù de
路的？

嘿嘿，我是Mic-key Mouse，大家都很喜欢我哦。

答案

mǐ lǎo shǔ
米老鼠。

有一位新人长得像刘德华,动作像成龙,走路像周润发,为什么见过这位新人的制片商都不肯录用他呢?

问题

xīn rén shì nǚ de
新人是女的。

28

一只小船不小心触到礁石，正在下沉，路过的轮船打算救援，可小船上的船夫却不让，他在想些什么呢？

问题

答案

tā xiǎng chén mò mò shì jīn
他想：沉没（默）是金。

我们这里的特色菜是红烧凤爪。

老板，我不干了。

ā yǎ dì yī tiān qù cān guǎn shàng bān
阿雅第一天去餐馆上班

jiù bǎ shǒu tàng shāng le lǎo bǎn shuō le yí
就把手烫伤了，老板说了一

问题

jù ān wèi de huà què xià de ā yǎ pǎo
句安慰的话，却吓得阿雅跑

huí le jiā lǎo bǎn shuō le shén me ne
回了家，老板说了什么呢？

老板说：不要紧，第一
天是生手，过几天就会变
成熟手的。

我是品学兼优的好学生。

ā guā míng tiān kǎo shì　dà jiā dōu shuō
阿瓜明天考试，大家都说

tā néng wěn ná dì yī　wèi shén me ne
他能稳拿第一，为什么呢？

问题

唉……真丢人，就我一个人补考。

答案

　　　　　yīn　wèi　míng　tiān　de　kǎo　shì　shì　bǔ
　　　　因 为 明 天 的 考 试 是 补
kǎo　　　zhǐ　yǒu　tā　yì　rén　cān　jiā
考，只 有 他 一 人 参 加。

眼见为实啊！

wèi shén me wǒ men xiān kàn jiàn shǎn
为什么我们先看见闪
diàn hòu tīng dào léi shēng ne
电，后听到雷声呢？

问题

答案

因为眼睛在前，耳朵在后啊！

36

可怜的孩子啊，你怎么被人打成这样啊？

ā dòu méi yǒu pāi diàn yǐng　　　kě tā
阿逗没有拍电影，可他

de fù mǔ yǎn kàn zhe tā bèi bié ren dǎ de
的父母眼看着他被别人打得

bí qīng liǎn zhǒng　　jì bú shàng qián bāng máng yě
鼻青脸肿，既不上前帮忙也

bú bào jǐng　　zhè shì wèi shén me
不报警，这是为什么？

37

因为阿逗正进行拳击比赛。

超级IQ大本营

哇噻，我要是有一个机器猫，考试时我就不用发愁了哦，哈哈……

nǐ zhī dào duō lā mèng wèi shén me
你知道哆啦A梦为什么
zǒng ài bāng zhù bié ren ma
总爱帮助别人吗？

问题

39

你看我的猫手，多美，毛茸茸的。

答案
因为它总爱伸出它的
yīn wèi tā zǒng ài shēn chū tā de
圆（援）手。
yuán yuán shǒu

体积太笨重了，走起路来都不方便，容易摔跤。

nǐ zhī dào shén me dòng wù zuì róng
你 知 道 什 么 动 物 最 容

yì shuāi jiāo ma
易 摔 跤 吗？

问题

哈哈，我会啊！

xiǎo měi méi yǒu xué guò suàn shù   lǎo
小美没有学过算术，老
shī què kuā tā de shù xué shì shǔ yī shǔ
师却夸她的数学是数一数
èr de   zhè shì wèi shén me
二的，这是为什么？

问题

答案

tā zhǐ huì cóng yī shǔ dào èr
她 只 会 从 一 数 到 二 。

嘿嘿，这是我的一片心意，请你收下！

shén me dōng xi méi yǒu jià zhí dàn
什么东西没有价值，但

dà jiā què yòu hěn xǐ huan
大家却又很喜欢？

问题

这个古董可是价值连城的宝贝啊！

答案

wú jià zhī bǎo
无 价 之 宝 。

46

哇，这么重的东西，看来只有扛了！

ná shén me dōng xi bú yòng shǒu ne
拿什么东西不用手呢？

问题

ná zhǔ yi
拿主意。

呵呵，天气预报里一般都是预报四十八小时的天气变化。

wǔ yè de shí hou xià qǐ le dà yǔ
午夜的时候下起了大雨，
xiǎo kē shuō zài guò sì shí bā xiǎo shí tiān
小柯说再过四十八小时天
shàng zhǔn huì chū tài yáng　tā shuō de duì ma
上准会出太阳，他说得对吗？

问题

49

四十八小时后不还是夜晚吗？怎么会有太阳。

答案 shuō de bú duì　　yīn wèi sì shí bā xiǎo
说得不对，因为四十八小

shí hòu réng shì wǔ yè　　bú huì yǒu tài yáng
时后仍是午夜，不会有太阳。

嘿嘿，我有透视眼的特异功能。

shén me dōng xi néng gòu shǐ wǒ men de
什么东西能够使我们的
yǎn jing tòu guò yì dǔ qiáng
眼睛透过一堵墙？

问题

51

外面的世界真精彩。

chuāng hu
窗户。

嘻嘻，我个子小，挤一下，船不会超载的。

问题

liǎng gè rén tóng shí lái dào hé biān dōu
两个人同时来到河边，都
xiǎng guò hé dàn zhǐ yǒu yì tiáo xiǎo chuán
想过河，但只有一条小船，
ér qiě xiǎo chuán zhǐ néng zài yí gè rén qǐng
而且小船只能载一个人，请
wèn tā men dōu néng guò hé ma
问他们都能过河吗？

答案

néng liǎng gè rén fēn bié zài hé de
能，两个人分别在河的
liǎng biān
两边。

长官，我已经超越极限了。

你应该还能比现在跑得更快。

jí mǔ pǎo de zuì kuài　　wèi shén me
吉姆跑得最快，为什么

tā de zhǎng guān hái yào pī píng tā
他的长官还要批评他？

问题

你是死罪可免，可活罪难逃！

答案

tāo pǎo
逃 跑 。

哈哈，嘴巴里也有眼睛吗？我看看长到哪里了呢？

yǎn jing kàn bú jiàn　　zuǐ què néng fēn
眼睛看不见，嘴却能分
biàn　zhè shì shén me
辨，这是什么？

问题

答案

wèi dào
味道。

dào le kōng qì fēi cháng xī bó de shān
到了空气非常稀薄的山
dǐng zhī hòu bù néng zuò shén me shì
顶之后,不能做什么事?

问题

59

我不想再往上爬了，我哮喘病都犯了，呼吸不畅。

答案

bù néng zài wǎng shàng pá
不能再往上爬。

wèi shén me shuō yǎng cháng jǐng lù zuì bú
为什么说养长颈鹿最不
yòng huā qián
用花钱？

61

噢，看我每天只吃两顿饭，多省钱啊！

答案

yīn wèi tā de bó zi cháng chī yì
因为它的脖子长，吃一
diǎn shí wù jiù yào huā hěn cháng shí jiān cái
点食物就要花很长时间才
dào dù zi li
到肚子里。

那个扎着小辫的就是母蚂蚁, 剃个光头的就是公蚂蚁!

zhuō zi shang yǒu liǎng zhī mǎ yǐ　　yì zhī
桌子上有两只蚂蚁, 一只

gōng de　　　　yì zhī shì mǔ de　　　nǐ néng shuō chū
公的, 一只是母的, 你能说出

nǎ zhī shì gōng de　　nǎ zhī shì mǔ de ma
哪只是公的, 哪只是母的吗?

问题

待会儿，你站在我旁边，看我的手势行事啊！

遵命,老婆大人。

答案

zài gōng de páng biān de shì mǔ de
在公的旁边的是母的,
zài mǔ de páng biān de shì gōng de
在母的旁边的是公的。

64

救命啊，我不会游泳啊！

wèi shén me yǒu yí gè rén jīng cháng
为什么有一个人经常
cóng shí mǐ gāo de dì fang bú dài rèn hé
从十米高的地方不带任何
ān quánzhuāng zhì tiào xià
安全装置跳下？

问题

我是跳水运动员，这就是我的生活！

答案

tiào shuǐ
跳水！

猴子聪明，身体灵活。

第一名

dài shǔ hé hóu zi cān jiā tiào gāo
袋鼠和猴子参加跳高
bǐ sài　　wèi shén me hóu zi yì kāi shǐ
比赛，为什么猴子一开始
jiù yíng le
就赢了？

问题

答案

　　　　dài shǔ shuāng jiǎo　qǐ tiào　pàn wéi
　　　　袋鼠双脚起跳，判为
　　fàn guī
　　犯规！

哼！一山是不容二虎的，谁争赢了，就做老大！

wèi shén me liǎng zhǐ lǎo hǔ dǎ jià
为什么两只老虎打架，

fēi yào pīn gè nǐ sǐ wǒ huó   bù rán
非要拼个你死我活，不然

问题

jué bú bà xiū
绝不罢休？

69

哪个敢去劝啊！还是先把命保住吧！

答案

告诉你一个不好的消息，万年龟得了癌症！

xiǎo yǔ mǎi le yì zhī wàn nián guī bìng
晓雨买了一只万年龟，并

gěi tā fàng le shì liàng de shí wù hé shuǐ
给它放了适量的食物和水，

kě dì èr tiān zǎo shang nà zhī wàn nián guī sǐ
可第二天早上那只万年龟死

le nǐ zhī dào zhè shì shén me yuán yīn ma
了，你知道这是什么原因吗？

71

tā zuó wǎn gāng hǎo yí wàn suì
它昨晚刚好一万岁。

我是飞机上的一把椅子，走遍天下，原来世界真奇妙！

shén me dōng xi dāi zài jiǎo luò li bú
什么东西待在角落里不
dòng　yě néng zǒu biàn quán shì jiè
动，也能走遍全世界？

问题

73

有我邮票在，你想去哪里，我就陪你去哪里！

答案

yóu piào
邮 票 。

一脚踩空，
便上演了一出
悲剧。

yǒu yí zuò dà shà fā shēng le huǒ zāi
有一座大厦发生了火灾，
lín xīn táo dào lóu dǐng hòu　xiǎng tiào dào jù
林昕逃到楼顶后，想跳到距
lí zhǐ yǒu yì mǐ de gé bì lóu dǐng shang
离只有一米的隔壁楼顶上，
dàn què shuāi sǐ le　zhè shì wèi shén me
但却摔死了，这是为什么？

问题

75

因为两座楼的高度相差太远了。

答案

我可以坐车出门，就可以不用四条腿走路了。

mǎ zài shén me shí hou bú yòng sì tiáo
马在什么时候不用四条
tuǐ zhào yàng kě yǐ xíng zǒu ne
腿照样可以行走呢？

问题

答案

zài qí pán shang
在棋盘上。

出门前先到楼上去把我哥哥叫醒。

问题

lín kě zhù de shì lóu fáng　kě měi
林可住的是楼房，可每
cì chū mén tā hái yào shàng lóu　nǐ zhī
次出门他还要上楼，你知
dào shì shén me yuán yīn ma
道是什么原因吗？

这个月没钱，只有租一个地下室，等有钱了，换个地方住。

答案

yīn wèi tā zhù zài dì xià shì
因为他住在地下室。

嘻嘻，我是流星，转瞬即逝的哦！赶紧许愿吧！

nǐ zhī dào dà pào wèi shén me shè jī
你 知 道 大 炮 为 什 么 射 击

bú dào xīng xing ma
不 到 星 星 吗？

问题

哇，是谁乱扔东西啊！幸亏我戴了头盔，不然就死于非命了！

问题

yǒu yí gè rén bèi cóng jǐ qiān mǐ de
有一个人被从几千米的
gāo kōng diào xià lái de dōng xi zá zài tóu
高空掉下来的东西砸在头
shang què méi yǒu shòu shāng wèi shén me
上，却没有受伤，为什么？

我是雪花，轻飘飘地来到你的身边！

答案

diào xià lái de shì xuě huā
掉下来的是雪花！

84

阿瓜和阿呆同时进了大楼，阿瓜走楼梯，阿呆乘电梯，为什么阿瓜先到了？

上二楼就不用坐电梯了吧，直接爬楼梯还快些。

答案

tā men jiù qù èr lóu　　ā dāi
他们就去二楼，阿呆
děng le bàn tiān diàn tī
等了半天电梯。

主人，你想把我饿死啊。我够不着啊！

问题

zài yí piàn bàn jìng shì mǐ de cǎo
在一片半径是10米的草
dì zhōng jiān yǒu yí gè mù zhuāng hé yì tóu
地中间，有一个木桩和一头
niú niú bó zi shang tào zhe yì gēn mǐ
牛。牛脖子上套着一根5米
cháng de shéng zi tā néng chī dào mǐ zhī
长的绳子，它能吃到5米之
wài de cǎo ma
外的草吗？

呵呵，我没有被栓在木桩上啊!

答案 néng。yīn wèi bìng méi yǒu shuō niú
能。因为并没有说牛
shì bèi shuān zài mù zhuāngshang
是被拴在木桩上。

此时无声
胜有声。

问题

sān gè lìn sè guǐ zài yì qǐ bǐ shéi
三个吝啬鬼在一起比谁

zuì lìn sè　qián liǎng gè shuō guò zhī hòu
最吝啬，前两个说过之后，

dì sān gè shuō le yí jù shén me　qián
第三个说了一句什么，前

liǎng gè jiù gān bài xià fēng le
两个就甘拜下风了？

我才不免费说那么多话给你们听呢!

答案

tā shuō　　wǒ cái bù miǎn fèi shuō
他说：我才不免费说
nà me duō huà gěi nǐ men tīng ne
那么多话给你们听呢！

冻死了，先使煤炉起火，我想烤火。

zài jǐn shèng yì gēn huǒ chái bàng shí
在仅剩一根火柴棒时，
ā lì xiǎng diǎn liàng méi yóu dēng shǐ méi lú
阿力想点亮煤油灯，使煤炉
qǐ huǒ bìng shāo rè shuǐ de huà yīng gāi
起火，并烧热水的话，应该
xiān diǎn shén me ne
先点什么呢？

问题

xiān diǎn huǒ chái

先 点 火 柴！